Grenouillard, Gertrude et Justin Serpent

A ma sœur Anne

Traduit de l'américain par Isabelle Reinharez
© 1988, l'école des loisirs, Paris, pour l'édition en langue française
© 1980, Rosamond Dauer pour le texte
© 1980, Byron Barton pour les images
Titre original: «Bullfrog and Gertrude go camping» (Greenwillow, New York)
Loi numéro 49.956 du 16 juillet 1949 sur les publications destinées à la jeunesse: mars 1988
Dépôt légal: mars 1988
Imprimé en France par Lazare-Ferry à Paris

Grenouillard, Gertrude et Justin Serpent

Histoire de Rosamond Dauer
illustrée par Byron Barton

Joie de lire de l'école des loisirs
11, rue de Sèvres, Paris 6ᵉ

«Si on allait camper?»
proposa Grenouillard
à Gertrude un matin.
«Oh, oui alors»,
répondit Gertrude.

Alors avec leurs sacs à dos

ils partirent vers les grands bois.

«Ah», s'écria Grenouillard
en chemin,
«la marche, ça fait du bien!»
«Oh, oui alors», dit Gertrude,
tout essoufflée par la montée.

Ils arrivèrent dans une clairière,
et Grenouillard déclara :
«Moi, j'en ai assez de marcher.»
«Bon», dit Gertrude.
«Je vais chercher du bois.»

«Ça te plairait

des brioches aux myrtilles pour le dîner?»

demanda Grenouillard.

«J'adore ça!» s'écria Gertrude,

et elle partit dans la forêt.

Gertrude avait des brindilles
plein les bras, quand tout à coup
elle entendit un drôle de bruit.

PSSSSSSSST!

Gertrude sursauta

et lâcha tout son bois.

«Qu'est-ce que c'est?» dit-elle.

Une voix répondit: «C'est moi!»

Gertrude baissa les yeux.

«Oh, c'est juste un serpent!»

«Justin Serpent»,

dit un très petit serpent.

«Magnifique.

Tu m'as trouvé un nom.»

«Quoi?» demanda Gertrude.

«Mon nom est Justin Serpent,

et je suis gentil.»

«Oh», dit Gertrude.

«Dans ce cas,

comment ça va?»

«En vérité»,

répondit Justin, «je suis très seul.

Dis, je peux rester avec toi?»

«Voyons», dit Gertrude,

en ramassant son bois,

«tu pourrais venir avec moi

et rester dîner.»

«Oh, merci!»

dit Justin.

Et Justin suivit Gertrude

jusqu'à la clairière.

Quand Grenouillard aperçut Gertrude,

il cria:

«Pile pour le dîner!»

Puis il s'arrêta net.

Il montra le serpent du doigt

et demanda: «Qui c'est, ça?»

«Justin Serpent», expliqua Gertrude.

«Je vois bien», dit Grenouillard.

«Justin, c'est mon nom»,

dit le serpent,

«et je suis gentil.»

«Heureusement!»

dit Grenouillard.

«Dînons»,

proposa Gertrude.

Grenouillard regarda Justin.

«Tu aimes les brioches aux myrtilles?»

«Oh, oui!» répondit Justin.

«Parfait», dit Grenouillard.

«Tu m'as l'air d'un chouette serpent.»

Tous les trois

se régalèrent.

Ce fut bientôt l'heure de se coucher.

Gertrude se glissa

dans son sac de couchage.

Grenouillard se glissa

dans son sac de couchage.

Et Justin Serpent
essaya de se glisser
dans le sac de couchage
de Grenouillard.

27

«Non! Non!» protesta Grenouillard.

Il tira Justin par la queue

et le posa par terre.

«Toi, tu restes dehors!»

Et le doigt tendu, il commanda:

«Assieds-toi!»

«Mon cher Grenouillard»,

dit Gertrude d'une voix endormie,

«tu devrais plutôt dire *enroule-toi*.»

«Tu as raison», dit Grenouillard.

«Enroule-toi, Justin!»

Justin s'enroula à côté de Grenouillard.

Le lendemain matin,

Grenouillard se réveilla

et trouva Justin

perché sur son sac de couchage

et qui remuait la langue.

«Arrête de me tirer la langue!»

dit Grenouillard, en se levant.

«Je te demande pardon»,

dit Justin.

«J'étais tout excité.»

Gertrude préparait le petit déjeuner.

«C'est prêt!» cria-t-elle.

Après le petit déjeuner,

Grenouillard éteignit le feu.

Gertrude dit:

«J'ai envie de cueillir

un bouquet de ces jolies plantes

pour les rapporter à la maison.»

Mais Justin cria:

«Arrête! Ne les cueille pas!»

«Et pourquoi pas?»

demanda Grenouillard.

«Parce que», dit Justin,

«c'est des orties.»

«Tu te rends compte, un gentil serpent

qui connaît les orties»,

dit Grenouillard.

« Oh, merci, Justin »,

dit Gertrude.

« Tu es drôlement utile

comme serpent ! »

« Je pourrais être utile

à des tas d'autres choses »,

dit Justin.

«J'en suis sûr»,

dit Grenouillard,

«mais tu sais,

nous devons partir.»

«Eh bien, ravi de vous
avoir rencontrés»,
dit Justin tout triste.
Et Grenouillard et Gertrude
repartirent chez eux.

Au bout d'un petit moment,

Gertrude demanda :

« Tu ne crois pas...? »

« Non ! » dit Grenouillard.

« Mais, Grenouillard », insista Gertrude,

« tu as bien été adopté

par la famille Souris. »

« Je sais », dit Grenouillard.

« Mais j'étais un

très joli têtard. »

«Je vois», dit Gertrude,

et ils continuèrent

à marcher en silence.

Bientôt Grenouillard s'arrêta.

«D'un autre côté», dit-il,

«Justin n'est pas vilain du tout

pour un serpent.

Et il pourrait être utile.»

«Comment ça?»

demanda Gertrude.

«Oh, Justin pourrait peut-être m'aider
à mesurer des choses»,
expliqua Grenouillard.
«Crois-tu», demanda Gertrude,
«que Justin est un serpent
que nous pourrions aimer?»
Grenouillard réfléchit une minute.
«Oui», dit-il.
«Mais je me demande
s'il sait jouer aux cartes.»

«On pourrait lui apprendre!»

proposa Gertrude.

«Hmmmmm...» dit Grenouillard.

«Crois-tu que nous...?»

«Oui!» dit Gertrude.

«Très bien», dit Grenouillard.

Il fit demi-tour.

«Justin! Justin Serpent!»

cria-t-il.

Ils aperçurent bientôt Justin Serpent

qui arrivait ventre à terre

le long du chemin.

«Comme je suis content!»
s'écria Justin
quand il les rattrapa.

Alors tous les trois

rentrèrent à la maison en se racontant

tout

ce qu'ils allaient faire en famille.